Ana Maria Machado e Claudius

Mico Maneco

3º impressão

SALAMANDRA

COORDENAÇÃO EDITORIAL
Lenice Bueno da Silva

ASSISTENTE EDITORIAL
Rita de Cássia da Cruz Silva

ILUSTRAÇÕES
Claudius Ceccon

PROJETO GRÁFICO
Claudius Ceccon

COORDENAÇÃO DE ARTE
Camila Fiorenza

DIGITALIZAÇÃO DAS IMAGENS
Angelo Greco

Dados Internacionais de Catalogação na Publicação (CIP)
(Câmara Brasileira do Livro, SP, Brasil)

Machado, Ana Maria
Mico Maneco / Ana Maria Machado e Claudius ; ilustrações de Claudius. -- São Paulo : Moderna, 2011.

ISBN 978-85-16-07294-0

1. Literatura infantojuvenil I. Claudius. II. Título.

11-08513 CDD-028.5

Índices para catálogo sistemático:
1. Ficção : Literatura infantil 028.5
2. Ficção : Literatura infantojuvenil 028.5

Editora Moderna Ltda.
Rua Padre Adelino, 758, Belenzinho, São Paulo, SP, Cep 03303-904
Vendas e Atendimento:
Tel.: (0--11) 2790-1300 Fax: (0--11) 2790-1501
www.modernaliteratura.com.br
Impresso no Brasil / 2013

Impressão e Acabamento: EGB Editora Gráfica Bernardi Ltda.

Maneco...

... é nome de menino.

Ou é nome de boneco.

Mas este Maneco é um mico.

E todo mico é macaco levado.

Mico Maneco é um macaco muito levado.

Mona é nome de macaca mesmo.

Mas é macaca meio de miolo mole.

Mico Maneco pede banana.

Mona Maluca dá bananada.

Mico Maneco leva bananada no caneco.

A bananada no caneco de
Mico Maneco é bananada muito mole.

Epa! Mico Maneco ficou todo melado...

De lama? Não!

De bananada danada de mole.

Mona Maluca pede o caneco de bananada.
O levado do Mico Maneco dá uma canecada.

De bananada?

Nada.

Canecada na cuca de

Mona Maluca.

E Mico Maneco?
Ele leva peteleco?
Não! Nada de peteleco.

Calada e toda melecada,
Mona Maluca come a bananada mole.

Mico Maneco também
come bananada.
Até mole e melada,
eta bananada boa...

Ana Maria Machado

Não estudei pedagogia. Meu negócio é contar histórias. Mas quando meu filho Rodrigo tinha quatro anos, inventei uma brincadeira com sílabas e num instante ele estava lendo. Depois, resolvi dividir a experiência com outras crianças. A pedagoga Marisa de Almeida Borba me deu dicas sobre a aquisição de sílabas na leitura. Então, escrevi, e meu grande amigo Claudius ilustrou. Já fiz uma porção de livros, mas poucos me dão tanta emoção como estes: para muitas crianças, o primeiro livro na vida. Uma espécie de chave mágica para a literatura! Vocês nem imaginam como isso esquenta o coração...

Claudius Ceccon

A criação do visual do Mico Maneco foi puro prazer desde o início. Como Ana Maria, meu negócio também é contar histórias, só que as minhas eu conto visualmente. Foi gostoso dar uma cara à ideia maravilhosa que Ana Maria teve, de criar histórias divertidas para que as crianças aprendam a ler e a gostar da leitura. Os personagens ganharam o visual que as crianças amaram; visual que se mantém, mais caprichado, nesta nova edição. As imagens se articulam harmoniosamente com o texto, complementando o sentido original ou – magia do desenho – propondo novos significados.

A **Coleção Mico Maneco** oferece uma fascinante aventura: aprender a ler, lendo.

São histórias curtas e imaginativas, que apresentam personagens bem brasileiras e trazem a leitura para o cotidiano das crianças.

Organizada em vinte livros agrupados de acordo com a dificuldade de leitura, a coleção acompanha o leitor à medida que vai apresentando maior capacidade para trilhar seu próprio caminho.

MICO MANECO I

Cabe na mala

Tatu bobo

Menino Poti

Mico Maneco

MICO MANECO II

Pena de Pato e de Tico-Tico

Boladas e amigos

Fome danada

Uma gota de mágica

MICO MANECO III

O rato roeu a roupa

No barraco do carrapato

Uma arara e sete papagaios

O tesouro da raposa

MICO MANECO IV

A zabumba do quati

Banho sem chuva

O palhaço espalhafato

No imenso mar azul

MICO MANECO V

Um dragão no piquenique

Troca-troca

Surpresa na sombra

Com prazer e alegria

ISBN 978-85-16-07294-0
9 788516 072940